¿Qué es un niño?
Beatrice Alemagna

Un niño es una persona pequeña.

Es pequeño solo por un tiempo;

después se hace mayor.

Crece sin ni siquiera darse cuenta.

Despacio, despacio y en silencio,

su cuerpo se alarga.

Un niño no es un niño para siempre.

Un buen día cambia.

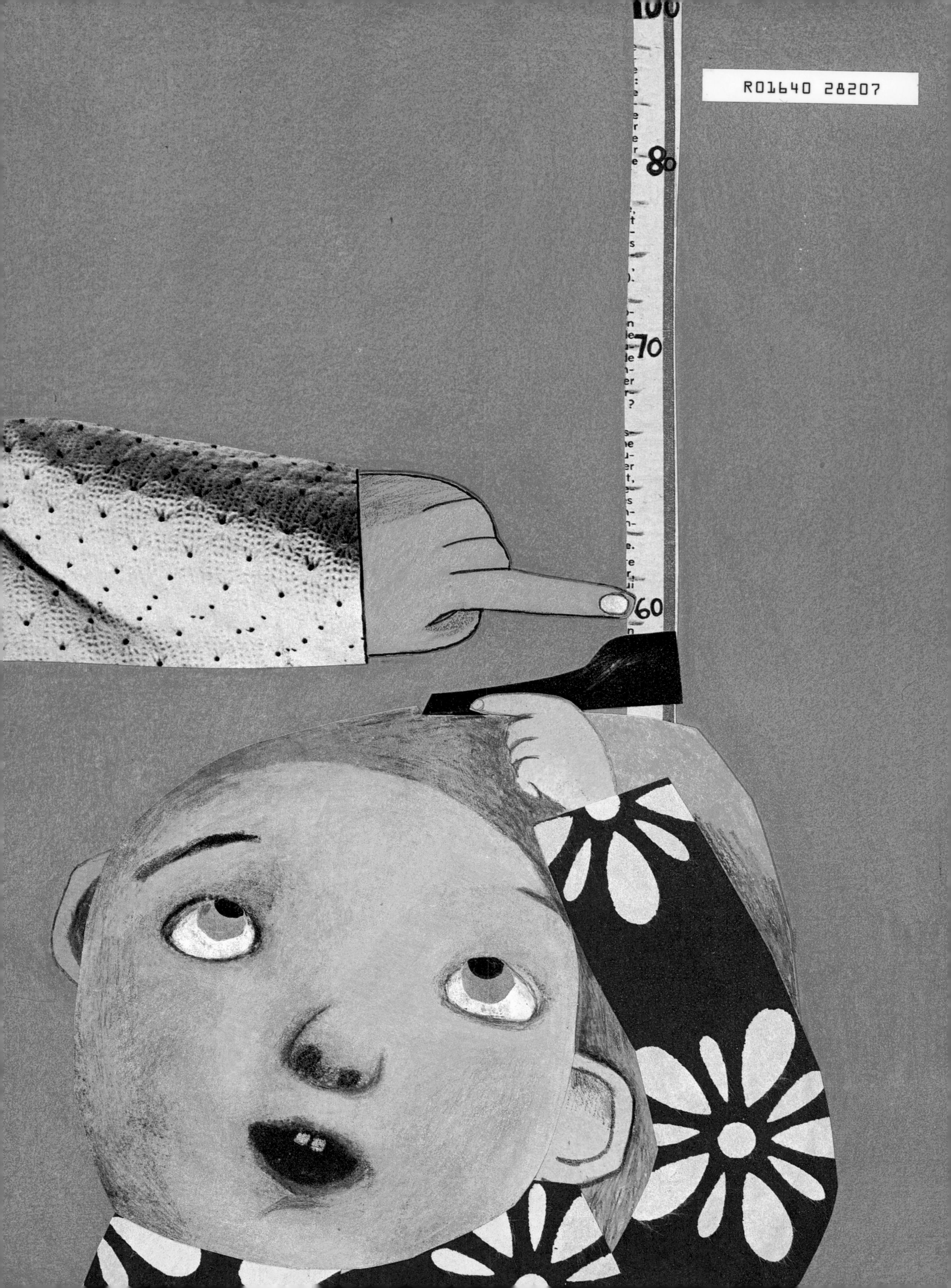
100
80
70
60

Los niños tienen prisa por hacerse mayores.
Algunos niños crecen, parecen felices y piensan:
"¡Qué bonito ser mayores, ser libres,
decidir todo solos!".
Otros niños, cuando se hacen mayores,
piensan exactamente lo contrario:
"¡Qué lata ser mayores, ser libres,
decidir todo solos!".

Un niño tiene manos pequeñas,
pies pequeños y orejas pequeñas,
pero no por eso tiene ideas pequeñas.
Las ideas de los niños a veces son grandiosas,
divierten a los mayores, les dejan boquiabiertos
y les hacen decir: "¡Ah!".

Los niños desean cosas raras:
tener zapatos que brillen,
comer algodón dulce para desayunar,
escuchar el mismo cuento todas las noches.

También los mayores tienen ideas raras: ducharse cada día, cocinar judías verdes rehogadas, dormir sin el perro amarillo.

"Pero ¿cómo pueden?", se preguntan los niños.

Los niños lloran porque una piedra
ha caído en el agua, porque el champú les pica
en los ojos, porque tienen sueño, porque está oscuro.
Lloran fuerte para que los oigan bien.
Para consolarlos es preciso tener la mirada cálida.
Y una lucecita junto a la cama.

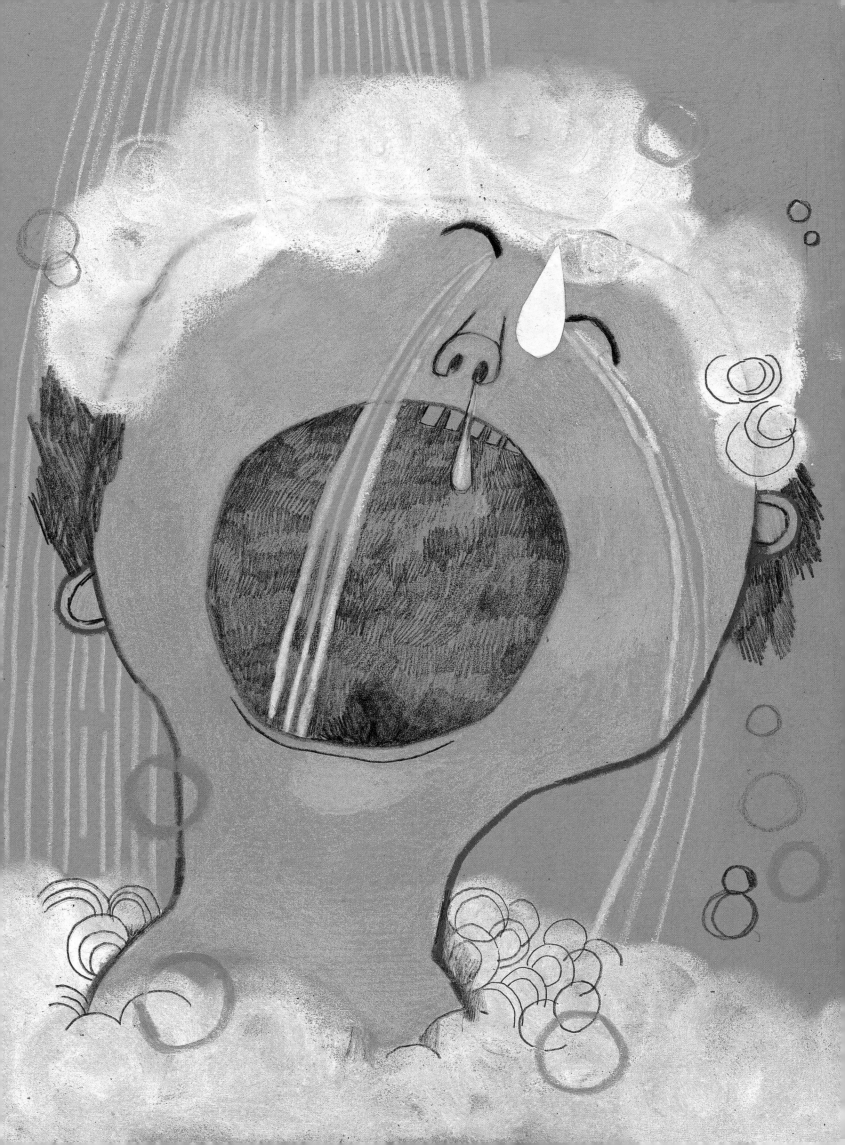

A los mayores, por el contrario,
les gusta dormir a oscuras.
No lloran casi nunca, aunque el champú
se les meta en la nariz, y si sucede, lloran en voz baja.
Tan bajo que los niños no se enteran.
O simulan que no ven nada.

Los niños se parecen a las esponjas.

Absorben todo: el nerviosismo, las malas ideas,
el miedo de los demás.

Parecen olvidar, pero después sale todo en el cuaderno,
o bajo la sábana, o incluso frente a un libro.

Los niños quieren que los escuchen
con los ojos abiertos de par en par.

Los niños tienen cosas pequeñas,
a su medida: una cama pequeña, pequeños libros
de colores, un paraguas pequeño, una silla pequeña.
Pero viven en un mundo grandísimo,
tan grande que no existen las ciudades,
los autobuses suben al espacio
y las escaleras no se acaban nunca.

A los niños, ya se sabe, no les gusta ir al colegio. A los niños les gusta oler la hierba con los ojos cerrados, correr gritando tras los pichones, escuchar la voz lejana de las caracolas, arrugar la nariz delante del espejo.

Hay niños de todos los tipos,
de todos los colores, de todas las formas.
Los niños que deciden no crecer, no crecerán jamás.
Guardarán un secreto dentro de sí mismos.
En ese caso, también de mayores,
se conmoverán por las cosas pequeñas:
un rayo de sol o un copo de nieve.

Hay niños extraños, bajos, gordos, callados, niños con gafas, en silla de ruedas, niños con aparatos en los dientes que brillan al sol.

Hay niños pesados, odiosos,
que nunca quieren ir a dormir,
niños mimados que hacen solo lo que quieren,
niños que a veces rompen platos, cuencos
y todo lo que se les ponga por delante.

Todos los niños son personas pequeñas que un día cambiarán.

Ya no irán al colegio, sino al trabajo.
Tal vez sean felices, tal vez tengan barba, o un bigote
peinado hacia arriba, o el pelo teñido de verde.
Tal vez se encaprichen con cosas raras
como un teléfono que no suena o el tráfico.

Pero ¿qué sentido tiene pensarlo ahora?

Un niño es una persona pequeña.

Por eso, para dormirse, necesita una mirada cálida.

Y una lucecita junto a la cama.